El Milagro de Dios está en mí

Cómo superé las adversidades

Berelise Rodríguez

Dedicatoria

A Dios,
quien es el que me inspira para con este
testimonio llegar al corazón de aquellas personas
que necesitan un refugio.

A mi familia,
que sin importar mis estados de ánimo siempre
están ahí para mí.

A mis amigos,
que con mis aciertos y desaciertos me brindan su
amor sin importar las circunstancias.

A todas esas personas que han pasado por un
proceso de cáncer y sienten que se les agotan las
esperanzas, para esos que día tras día luchan con
todas sus fuerzas. Que puedan entender que sólo
en DIOS hay solución para cualquier situación
que puedan estar enfrentando.

Agradecimientos

Dios.
Gracias por darme la oportunidad de tener una
nueva vida y disfrutar lo hermoso que has creado
para mí. Gracias Señor porque tu misericordia es
nueva cada día y con tu amor y ternura me
estrechas en tus brazos dándome a entender que tu
plan y tus propósitos son perfectos para mi vida.

Mi familia.
Gracias por estar pendiente de mí en todo
momento. Sin importar cuán duro y complicado
fue el proceso, estuvieron ahí para mí.

Mis amigos.
Gracias, porque con cada palabra de aliento que
me transmitían una fortaleza inexplicable,
ya fuera a través de llamadas o escritos.
Gracias por estar ahí.

Médicos y enfermeras.
Gracias Señor por esas hermosas personas que
pusiste a mi lado para que me brindaran un

cuidado excelente, gracias por el amor y paciencia que pones en ellos y la gran sabiduría que les das, para que con sus conocimientos puedan ayudar a que sus pacientes superen las enfermedades.

Todas las personas que se involucraron en mi proceso. Gracias Señor por cada una de las personas que, sin importar si me conocían o no, estuvieron pendientes de mí. Gracias Señor por las personas que día y noche oraban por mí para que tú tuvieras misericordia y me regalaras una nueva oportunidad para seguir viviendo. Gracias Señor por todos aquellos que directa o indirectamente tuvieron que ver con mi recuperación.

Índice

Introducción

Nací en el año 1985 en la Provincia Sánchez Ramírez, República Dominicana. Desde temprana edad, supe que ayudar y servir a los demás sería mi gran vocación y mi propósito de vida. Aunque al momento de publicar este libro, soy una joven con discapacidad visual, esto no me ha impedido ir tras mis sueños y el cumplimiento de mi propósito de vida.

En septiembre de 2016 publiqué mi primer libro de poemas titulado: **"Lo que tengo dentro y nadie conoce"**. En octubre de ese mismo año obtuve el grado de Licenciada en Educación Media, Mención Orientación, en la Universidad Federico Henríquez y Carvajal, en la República Dominicana.

Desde entonces, he buscado que mis pacientes puedan encontrar, a través de mis consejos, la paz y estabilidad que requieren en ese momento; por eso siempre pido a Dios que sea mi guía y que me permita ser usada como un instrumento de bendición.

Te darás cuenta de que, a través de cada palabra escrita en este libro, hay una invitación constante a confiar plenamente en Dios. Acá encontrarás algunas de las situaciones más difíciles por las que he tenido que pasar durante estos seis años y cómo pude, con la ayuda de Dios, vencer todas las adversidades: desde estar quedándome prácticamente ciega, hasta llegar al borde de la muerte.

También hallarás en este libro, la forma más eficaz en que la que tú, como ser humano, puedes lograr obtener la victoria, aunque te encuentres en medio de las más difíciles circunstancias, en las cuales quizá llegues a creer que no podrás vencer.

Al terminar de leer libro, habrás aprendido a confiar plenamente en Dios y tendrás algunas ideas para enfrentar las circunstancias adversas que quizás puedan llegar a tu vida de una manera más tranquila; serán las herramientas más importantes que debes conocer y aplicar para que te vaya mejor en ese camino que debes recorrer.

Capítulo 1
Temor por lo que podría pasar

El miedo a lo desconocido es algo que todo ser humano lleva dentro, depende de ti cuál es la forma en que decidirás combatirlo. ¿Decidirás ser valiente y afrontar sin temor lo que pueda pasar? ¿Te echarás a llorar en un rincón sin buscar soluciones?

El miedo nos aterroriza y nos impide dar pasos agigantados hacia nuestro futuro para lograr las cosas que tanto hemos deseado en la vida.

El cambio a lo desconocido, los comentarios de quienes te rodean y el miedo al fracaso son cosas que destruyen poco a poco nuestra existencia.

La mente es un campo de batalla donde se acumulan tantos pensamientos que muchas veces no somos capaces de manejar. Depende de ti cómo decides enfrentar cada una de las circunstancias que llegarán a tu vida.

Muchas personas pueden verte feliz y sonreír siempre, pero en el fondo de tu corazón sabes que hay miedos que se ocultan en lo más hondo de ti queriendo arrasar con toda tu paz y tranquilidad.

Es ahí donde Dios, que todo lo ve y todo lo sabe, extiende su misericordia y amor para darte paz y fortalecer tu vida.

Una mañana de enero del año 2017, mientras me encontraba acostada, abrí los ojos a un nuevo amanecer que Dios me había regalado. Me sentía feliz y agradecida de estar viva una vez más.

Al abrir la ventana de mi habitación noté que había algo diferente en mi campo visual. Veía todo empañado, y pensé que se debía a que la presión ocular de mi ojo podría estar alta.

Uno de los síntomas más frecuentes de la presión ocular alta es que la vista se vuelve nublada, como si estuvieses viendo a través de un cristal sucio, lo que para mí ya era algo frecuente y conocido.

Al levantarme de la cama lo primero que hice fue llamar a mi médico oftalmólogo para hacer una consulta de emergencia porque mis ojos han sido toda la vida muy delicados y no quería ponerme en riesgo, pues sabía que la presión ocular alta podía terminar quitándome la poca vista que poseo.

Al llegar al consultorio fue chocante para mí, ya que mi oftalmólogo chequeó mis ojos y me dijo: "¡Se está desarrollando una catarata!"

Me explicó algunas de las causas por las que podía haber llegado a ocurrir dicha enfermedad en mi ojo, y las consecuencias que podrían venir a causa de esta.

También me explicó que poco a poco se iría empañando mi vista, hasta lograr convertirse en una horrorosa cortina de color amarillo o marrón.

Esto fue desconcertante para mí, ya que unos años atrás había perdido la visión en mi ojo izquierdo por causa de una hemorragia tras realizarme un trasplante de córnea, y sólo poseía vista en mi ojo derecho.

No podía comprender cómo había llegado a pasarme tal cosa, sólo sé que en ese momento no presté atención a las palabras tan específicas de mi doctor y me fui a casa.

Mi vida transcurría con normalidad, sin ningún cambio evidente en mi ojo. Iba a mi trabajo, seguí estudiando en la universidad, realizaba con facilidad y tranquilidad cada una de las tareas relacionadas a mi vida cotidiana.

Un día, a mediados de 2018, mientras seguía acostada en mi habitación, abrí los ojos a la hermosa luz de la mañana que Dios había permitido que entrara por mi ventana, pero para mi sorpresa esta vez había llegado lo inesperado, lo que tanto había temido. Ya mi ojo estaba mirando de color amarillo.

Fue frustrante para mí darme cuenta de que lo que había sido una simple catarata se estaba convirtiendo en algo quizás mucho peor para mí, algo que me traería tantas inseguridades, lágrimas, angustia y, sobre todo, un deseo intenso de aislarme de todos y de todo.

Los siguientes meses fueron más largos que de costumbre, ya que cada día que abría mis ojos a un nuevo amanecer, sólo miraba como aquella cortina de color amarillo amarronado se estaba intensificando cada vez más en mi campo visual.

Siempre buscaba la forma de evitar tener que salir a la calle, ya que la inseguridad que me arropaba era demasiado grande. Sentía que no tenía fuerzas para enfrentarme al mundo exterior, y que si lo hacía podía terminar con un gran fracaso en mi vida, muy lejos de lograr los sueños y metas que estaban dentro de mi corazón para entonces.

El miedo empezó a apoderarse de mí poco a poco. Sentía que se me iba acabando la vida y no sabía cómo enfrentar tal situación.

La soledad por la que estaba pasando tampoco me ayudaba mucho, ya que no tenía conmigo a mi familia, pero Dios siempre pone personas a tu alrededor que están ahí para apoyarte y brindarte su amor incondicional.

Y ahí estaba ella, alguien tan importante en mi vida. Dúo, mi amada prima, a quien amo como a una hija.

Esa joven que, aun con sus cortos años se caracteriza por su dulzura infinita y posee la paciencia suficiente para ayudar a los demás; siempre está ahí para extenderme las manos cuando más las he necesitado.

Sus palabras de fortaleza se han quedado grabadas en mi corazón. Siempre me decía: "estarás bien, saldrás de esto. Lo lograrás."

Mi hija, mi princesa, ella que tantas veces me ha visto llorar y que me ha estrechado entre sus brazos, apretándome fuertemente en ese momento tan difícil de mi vida.

La intranquilidad de no poder expresarme claramente con mi familia, que se encontraba en el exterior, me hacía la situación aún más difícil, pues sabía que si le contaba tal cual cómo me estaba sintiendo en esos momentos a mi madre, ella dejaría todo y correría a República Dominicana para acompañarme, así como hizo en septiembre de 2018 cuando mi médico me dijo que debía ser operada y mi madre debía saber las consecuencias que podría tener dicha cirugía en mi ojo.

Recuerdo que en una de esas consultas Dúo me acompañó al oftalmólogo, y lo escuché decir:

—Debemos operarte.

—Dígame cuándo —le respondí.

—Lo más pronto posible, pues se ha hecho demasiado grande y va a terminar por dejarte completamente ciega si no te intervenimos a tiempo —contestó.

En ese momento de desesperación y angustia le pregunté:

—¿Cuáles son las cosas que podrían pasar?

—Podrías tener una hemorragia ocular como la que tuviste en tu ojo izquierdo en el 2008, por la que perdiste la visión —él contestó. —De todas formas, si no te operas podrías quedar ciega. ¡La decisión es tuya!

Finalmente, con voz clara y apacible me dijo:

—Me gustaría ver a tu madre para explicarle el proceso de la cirugía y que ella sepa los riesgos.

Al regresar a casa el temor se apoderó de mi mente. Sentía que los días no pasaban y que la catarata me impediría cada vez más visualizar el mundo a mi alrededor. Ya no tenía paz en mi interior.

Sentía que la vida se me iba lentamente y sólo la misericordia de Dios y su amor seguían conmigo para darme fuerzas.

La soledad por no estar con mi familia, la angustia, inseguridad y desesperación por no poder mirar como lo hacía antes, estaban acabando conmigo. Mi tranquilidad estaba en riesgo, me invadía una angustia terrible cada vez que debía salir a la calle a hacer cualquier diligencia.

Buscaba la manera de estar siempre acompañada, ya que me daba un poco más de seguridad, aunque algunas veces no era posible ir con alguien. Sólo la fortaleza de Dios pudo ayudarme a sobrepasar un momento tan difícil como lo es tener catarata y estar prácticamente ciega.

Ese era el gran temor que me embargaba por completo el alma: no poder volver a ver todo lo que me rodeaba.

Tan sólo el hecho de pensar que no volvería a mirar la luz del día, que no podría volver a disfrutar los hermosos colores de la naturaleza y que no podría compartir con las demás personas como solía hacerlo me estaba rompiendo el corazón en mil pedazos.

Era algo tan difícil para mí que aún hoy en día no podría describir todo lo que estaba pasando por mi cabeza.

Una noche, ya estando acostada, alcé mi vista al cielo y oré a Dios: "Señor Jesús te pido que si esa cirugía no me va a hacer bien y van a dañar mis ojos como lo hicieron en años anteriores, entonces permite que se abran puertas en los Estados Unidos para yo poder ir a operarme allá".

No había pasado una hora luego de aquella breve oración cuando en mi casa sonó el teléfono. Era ella, la mujer más valiosa que tengo en la vida: mi madre. Y con una voz tranquilizadora me dijo… "Hija, no sé cómo lo haremos, sólo puedo decirte que Dios nos ayudará para que puedas venir a operarte aquí a los Estados Unidos. No tengo la manera, pero Dios dará la solución y todo saldrá bien".

Luego de muchos meses, esas palabras llegaron como un bálsamo refrescante a mi corazón. Sentí que por primera vez en tanto tiempo mi vida había vuelto a tomar otro rumbo y que esta vez sería para bien.

Levanté mis manos al cielo, le di gracias a Dios y de mi rostro empezaron a caer lágrimas en mi almohada. Fue un momento donde la paz sobrenatural de Dios me cubrió por completo y nuevamente volví a sentir seguridad.

En octubre de 2018 viajé a Estados Unidos con mi madre a ponerme en manos de los médicos de ese país. Cuando llegué al hospital de Manhattan me atendieron diferentes doctores, pero todos estaban de acuerdo en que la situación de mi ojo era muy complicada.

Durante los siguientes meses me hicieron diferentes estudios y chequeos para saber si estaba preparada para una cirugía de catarata, la cual se realizaría en el 2019.

La catarata seguía aumentando de tamaño y mi ojo nublándose cada vez más. Era desesperante todo lo que estaba pasando en mi interior, pero expresaba muy poco de las penas que sentía, ya que no quería impacientar a mi familia más de lo que ya estaban.

Recuerdo que, en diferentes ocasiones, en mis citas de rutina, preparaban el formulario para la cirugía y no podía firmarlo, ya que empezaba a llorar y los médicos no podían aceptar que yo firmara un papel bajo tanto llanto.

Al fin llegó el día, a inicios de 2019, cuando Dios me dio la fuerza y valentía para, en una de mis consultas, firmar el documento de consentimiento para mi cirugía y el tratamiento que debería llevarse a cabo para retirar la catarata.

Pregunté a algunos de los doctores qué garantía me daban de que la cirugía fuera a ser satisfactoria, a lo que algunos de ellos respondieron: "no tenemos garantía", mientras que otros médicos me dijeron que teníamos un gran porcentaje de éxito con la operación.

Después de pasar por muchos especialistas en el hospital y cada uno de ellos dar su versión acerca de mi ojo, Dios puso en mi camino a una excelente doctora que estaba culminando su residencia. Ella es especialista en catarata, realizó diferentes estudios y mediciones para poder llevar a cabo la cirugía y que yo pudiese volver a ver con claridad nuevamente.

La doctora Chen. Nunca olvidaré lo amable, cariñosa y atenta que se comportó conmigo durante todo este proceso. Recuerdo que le hice muchas preguntas respecto a cómo sería la cirugía antes, durante y después, y a todas ellas respondió con una paz y tranquilidad natural que solo Dios puede dar.

En uno de los últimos estudios detectaron que el lente intraocular que se coloca después de haber retirado una catarata de un ojo humano no podría ser implantado en mí, porque yo no poseía el saco donde debía colocarse. Por tal razón, el retiro de la catarata en mi caso daría como resultado un paciente afáquico, esto quiere decir, un ojo humano que no posee lente intraocular ni saco donde pueda colocarse el lente.

De todas maneras, la doctora me dijo con su voz tan tranquilizadora como siempre: "todo estará bien. Y si supiéramos que no va a dar buenos resultados, puedes tener por seguro que no nos arriesgaríamos". Esas fueron las palabras llenas de sabiduría y paz que dijo para tranquilidad de mi corazón.

Dios sabía lo intranquila que toda esta situación me había tenido durante dos años, y al fin estaba por terminar tanta angustia y desesperación.

Después de haber realizado todos los análisis, estudios y chequeos necesarios para la extracción de la catarata, llegó el gran día: 21 de agosto de 2019. Al fin estaba a punto de volver a sentir la misma seguridad que tenía al andar en las calles antes de 2017, cuando todo era hermoso y la vida para mí no se había tornado en tanta angustia, desesperación, tristeza y dolor.

Dios seguía mostrando su amor y gran misericordia para con mi vida. En cada uno de los estudios que me realizaban la mano poderosa de Dios estaba sobre mí, guiando a cada uno de los médicos que conformarían el equipo que iría conmigo al quirófano ese gran día.

Me tocó ir bien temprano al hospital para mi cirugía. Estaba lista para que ese largo y agobiante proceso que tuve que pasar por 2 años al fin terminara.

Un gran equipo de médicos me acompañaba en el quirófano. Entré llena de paz y tranquilidad, pues sabía que Dios estaba conmigo y todo saldría como Él lo había destinado.

Duré varias horas en el quirófano, ya que al abrir mi ojo los doctores se percataron de que había muchas irregularidades ahí dentro, y tuvieron que resolverlo de acuerdo a la sabiduría que Dios les había dado. Fue un poco difícil, ya que fue necesario realizar algunas reconstrucciones en mi iris, mi pupila y algunas áreas más de mi ojo que se vieron afectadas por la catarata, pero Dios seguía estando con nosotros.

La cirugía fue todo un éxito, gracias a Dios y al esfuerzo, pasión y amor que pusieron cada uno de los médicos.

El apoyo y las oraciones de mi familia y cada una de las personas que me conocían fueron parte esencial para que este proceso saliera exitosamente.

"No tengas miedo, pues yo estoy contigo;
no temas, pues yo soy tu Dios.
Yo te doy fuerzas, yo te ayudo,
yo te sostengo con mi mano victoriosa."
Isaías 41:10

Capítulo 2
Complicaciones

Cuando iban a realizarme la cirugía de catarata, todos los especialistas por los que pasé hicieron referencia a que era muy importante que supiera los riesgos que se corrían durante un procedimiento de este tipo. Me dijeron que leyera lo más que pudiese acerca de todo esto para que estuviese bien informada a la hora de realizarme la cirugía.

Durante unos días -o quizás semanas-, me mantuve buscando en internet y en otras fuentes acerca del tema de la cirugía de catarata, ya que encontré en diferentes ocasiones muchos riesgos y complicaciones que podrían surgir. Aunque les confieso que nunca pensé que yo sería una de las personas que tendrían que enfrentar uno de los peores riesgos que implica la cirugía.

Uno de los grandes riesgos que encontré al buscar tanta información fue el desprendimiento de la retina debido a la fuerza que se hace al cristalino para poder retirarlo, ya que la catarata consiste en la opacidad del cristalino o daño a este.

Fue así como pude investigar que es de suma importancia que cada persona que se va a someter a una cirugía de catarata sepa cuáles pueden ser las ventajas y desventajas para este procedimiento.

Al día siguiente de haberme realizado la operación de catarata comenzó a ocurrir dentro de mi ojo algo que para mí era inexplicable: empecé a mirar de color azul radiante.

Le comenté a la doctora lo que me ocurría, pero no encontraba la causa para que estuviera mirando de esa manera. Ella se preocupó mucho cuando trató de medir la presión ocular y el aparato no funcionaba, debido a que estaba muy baja la presión del ojo. La doctora decidió buscar instrumentos diferentes para ver lo que estaba pasando y así verificar que las cosas no estuvieran mal.

Recuerdo que el aparato de tomar la presión marcaba demasiado bajo el número para mi ojo, así que echó algunas gotas y estuvo monitoreando mi ojo hasta lograr establecer la presión ocular en 10.

Al final, creímos que se debía a que mi ojo estaba inflamado por la operación.

La doctora me había explicado que vería los colores mucho más intensos, debido a que no poseía ni el cristalino ni un lente intraocular que regulara la luz que entraría por mi ojo, directo a la retina.

Fue muy preocupante para mí cuando me di cuenta de que, aun mirando superficies de color blanco, todo era de un color azul intenso, excesivamente radiante. Creo que en ese tiempo el azul dejó de ser mi color favorito, y es que era demasiado azul presente en todos los lugares hacia donde miraba.

Unos días después de la operación empecé a mirar sorprendida, parecía una niña descubriendo todo a su alrededor. Era maravilloso como me sentía, aunque el color azul seguía muy intenso en mi campo visual.

Luego de haber pasado una semana de la operación miré hacia una superficie blanca en la pared de la habitación donde mi madre y yo vivíamos. Le comenté que veía una sombra moviéndose en la pared, a lo que ella respondió: "ahí no hay nada". Pero yo insistía: "mami, veo como si fueran hebras de cabello moviéndose en la pared". Fue algo preocupante para ella, pero al día siguiente tenía un chequeo de rutina en el hospital, por lo que decidimos quedarnos tranquilas y esperar.

Al llegar al hospital y encontrarme en el consultorio conversando con mi doctora, le comentamos lo ocurrido. Para nosotras fue aún más preocupante cuando ella se alarmó y dijo: "necesitas ver al médico de la retina". Sentí que nuevamente la tierra se estaba abriendo bajo mis pies, y esta vez era aún peor porque no sabía qué estaba ocurriendo. Ella se puso en contacto con el doctor Caplin, quien dijo que podría verme a las tres de la tarde de ese mismo día.

Accedimos a quedarnos en el hospital, pero para sorpresa nuestra el doctor tuvo muchas cirugías y terminó a las seis de la tarde. Al parecer había olvidado que yo le estaba esperando, y justamente cuando iba a salir del hospital se encontró cara a cara conmigo.

Subimos al octavo piso donde estaba su consultorio para ser evaluada por él. Cuando íbamos en el ascensor dijo:

—Vamos a ver qué te pasa, pero por lo que la doctora me comentó, creo saber lo que está ocurriendo.

Llegamos al consultorio, me colocó en el sillón que acostumbran los médicos a poner a los pacientes, buscó algunos aparatos especiales para chequear mi retina y fue ahí cuando dijo:

—¡Se está desprendiendo la retina de tu ojo!

Esas palabras me abrieron un hoyo en el centro del corazón. Miré hacia arriba y grité: "¡Dios mío, ayúdame a salir de esto!".

Apenas hacía una semana que había sido intervenida. Sentí que la tierra me tragaba. Inmediatamente empezamos a llorar, y el doctor nos dio palabras de consuelo.

—Tenemos que realizarte una cirugía de emergencia. Mientras más rápido lo resolvamos, habrá más posibilidades de que todo salga bien —dijo.

No sabía qué decir. Me sentí ahogada, no quería ni hablar, y las lágrimas invadían mi rostro. Mi madre me miraba y, como era de esperarse, empezaron las preguntas:

—¿Doctor, y ahora qué haremos?

El doctor habló muy calmadamente y con toda la paciencia del mundo, consciente de que explicaba la situación a una paciente que acababa de ser sometida a una cirugía, apenas una semana antes.

—Tranquila, haremos una cirugía de retina —dijo con voz suave — existen dos posibilidades: una es aceite de silicón y la otra es mediante una burbuja de gas. No sabremos cuál usar hasta no abrir el ojo y ver el daño que se le ha causado a tu retina.

—¿Cuál es la diferencia entre el gas y el aceite de silicón?

—Si ponemos el aceite de silicón dentro de tu ojo, a los tres meses tendremos que abrir nuevamente para retirarlo, si colocamos el gas, este será absorbido en un lapso de 1 o 2 meses por tu mismo cuerpo y no habrá necesidad de intervenirte nuevamente —contestó.

Mi madre y yo nos miramos y acordamos que sería gas.

Seguidamente continuó diciendo:

—El martes 3 de septiembre vas nuevamente a cirugía. Debemos actuar con rapidez y evitar daños mayores. También trataremos la retina con suficiente láser con el fin de evitar futuros desprendimientos.

Esa noticia nos quebró el corazón, pero aún en medio de todo sabíamos que la fortaleza y la misericordia de Dios seguían estando con nosotras, aunque créanme que en un momento como ese lo menos que piensas es que todo va a estar bien.

Mi vida se estaba quebrando en pedacitos y no sabía cómo enfrentaría todo lo que estaba por llegar. Eran momentos de desesperación y dolor.

Cuando ya pensaba que por fin iba a tener una nueva razón para estar feliz, el golpe bajo del desprendimiento de retina llegó a mí. Fue como cuando te dan una bofetada en la cara y no sabes qué hacer ante esa circunstancia.

Salimos llorando del hospital, no sabíamos cómo asimilar la noticia que acababan de darnos tan fríamente.

¿Ahora cómo se lo diríamos a nuestra familia? ¿Cómo enfrentaríamos una situación tan complicada sin saber qué podría pasar?

Nunca cuestioné a Dios pensando en cosas como: "¿por qué me pasó a mí?". Créanme, son cosas que te pasan por la mente, pero lo más importante es confiar y seguir creyendo que Dios está en control para sostenerte aun cuando todo se ve oscuro.

Llegamos a la habitación donde vivíamos. Yo no dejaba de llorar. Cuando le dimos la noticia a una de nuestras amigas fue terrible, todas lloramos desesperadamente.

Lo más duro para mí fue tener que llamar a mi hermana y mi padre y decirles que iba a tener que ser sometida una vez más a otra operación, ya que mi retina había empezado a desprenderse.

Ese día en el hospital habían puesto tantas luces dentro de mi ojo que aún en la oscuridad sentía que había bombillos a mi alrededor encendidos. Era desesperante cuando abría los ojos, por lo que trataba de mantenerlos cerrados.

El dolor de cabeza que me invadió cuando me dieron la noticia era tan grande que al llegar a casa mi madre preparó un jugo para que lo tomara. No quería comer, la comida no me pasaba por la garganta. Tenía un nudo que sentía que nunca se iba a quitar.

Ese fin de semana fue uno de los más largos para mí. La espera me estaba matando, la angustia me consumía por dentro, y el ver a mi familia desesperada era una de las peores cosas que me estaban ocurriendo.

Amo a mi madre. Es esa persona tan especial que siempre se ha mantenido junto a mí brindándome su apoyo incondicional en todo momento. Ella sufría intensamente la situación por la que yo estaba pasando, ya que no podía hacer nada para ayudarme; solo debía esperar que Dios decidiera lo que pasaría conmigo en ese momento.

Llamé a mi hija Dúo y le conté. Toda la tristeza que se reflejó en su voz fue agobiante para mí, pero asimismo recuerdo sus palabras: "Dios está contigo. Todo va a salir bien". Ella, tan especial, siempre dándome palabras de fortaleza que me permitían sentir su abrazo, aunque estuviésemos lejos.

Mi hermana y mi padre no lo podían creer. Muchos de mis amigos ni siquiera pudieron pronunciar palabra cuando se enteraron de lo que estaba pasando; pero a veces pienso que fue mejor así, ya que si decían algo podrían aumentar más la desesperación por la que yo estaba pasando.

Llegó el día 3 de septiembre de 2019. Me dirigí temprano al hospital para ser intervenida nuevamente. No me había recuperado de la cirugía de catarata cuando tuve que entrar nuevamente a quirófano.

¿Pero todo esto por qué estaba pasando? Sólo tengo una respuesta: Era plan de Dios para mostrar su amor y su misericordia por mí.

La cirugía duró unas cuantas horas. Mi madre se hallaba desesperada en la sala de espera, y mi familia estaba esperando que yo les llamara para decir que ya había terminado la cirugía... todo era un caos. Pero la mano de Dios estaba ahí respaldándonos y cuidándonos en todo momento.

Finalmente salí del quirófano y el doctor le dijo a mi madre: "todo está bien, le pusimos gas". Le explicó algunos detalles y le dijo cómo debería permanecer yo en los siguientes meses.

Muchas fueron las instrucciones dadas ese día por el médico a mi madre, ya que yo estaba bajo los efectos de la anestesia general. Le comentó que, durante dos meses, debería permanecer día y noche con la cabeza hacia abajo, para que el gas ejerciera presión sobre mi retina y pudiera pegarse.

No sabía cómo asimilar esta nueva situación que tendría que vivir, y mucho menos sabía cómo serían los días venideros para mí, pero de algo si estaba segura: Dios estaba con nosotras.

Mi madre duró unas cuantas semanas sin trabajar para cuidarme día y noche, gracias a Dios no sentía ningún dolor por las cirugías, pero era un tanto complicado tener que estar día y noche con mi cabeza pegada al pecho pues de esa forma el gas ejercería la presión y de esa forma mi retina pegaría perfectamente. También nos dijo el doctor que habían llenado la retina de láser para evitar desprendimientos a futuro.

Yo sabía lo delicada que era la cirugía de retina, pero nunca imaginé que debía permanecer con mi rostro hacia abajo durante dos meses, que para mí fueron demasiado largos e intensos.

A medida que iban pasando los días, veía cómo la burbuja de gas giraba dentro de mi campo visual. Al tener puntos de la cirugía anterior, podía mirar todos esos puntitos alrededor de mi ojo. Era traumatizante para mí tener que lidiar con eso cuando abría los ojos para mirar.

Recuerdo la desesperación que se apoderaba de mí en momentos determinados, ya que no podía dormir a ninguna hora del día. Era muy duro tener que estar con la cabeza hacia abajo constantemente.

No encontraba forma ni en la cama, ni en la silla, ni en el mueble. Era desesperante para nosotras todo lo que estaba ocurriendo en mi vida, pero Dios seguía ahí haciéndose presente.

Un domingo mi madre decidió salir a trabajar. Yo me quedé sola en casa y la vecina me vigilaba por si necesitaba algo, ese día dije unas palabras que por siempre quedarán grabadas en mi memoria, sin ni siquiera pensar lo que más adelante me tocaría vivir.

Dije: "Señor… no importa el proceso por el que pase, siempre te alabaré, te bendeciré y estaré agradecida de lo que haces en mi vida."

Esas palabras marcaron un antes y un después en lo que hoy soy.

Nunca sabremos cuán caliente está el fuego hasta que nos encontremos con la brasa de frente.

Hay momentos en la vida donde sentimos que ya no tenemos esperanzas, que ya no hay fuerzas para seguir, que nuestra fe ha desaparecido por completo y que sólo queda rendirnos al fracaso.

Después de dos meses intensos de chequeos llegó por fin la recuperación de la operación. Ya estaba lista para iniciar una nueva etapa junto a mis seres queridos. Dios me había dado el privilegio de poder estar bien.

Fue un largo proceso, pero ya estaba mirando mejor y mucho más claro que antes de tener el problema de la catarata y el desprendimiento de la retina. Me sentía muy feliz y agradecida de Dios.

Agradezco a Dios por los médicos que puso a mi cuidado, personas llenas de amor, paciencia, vocación, integridad, dulzura y entrega por lo que hacen. Son médicos que permanecerán por siempre en mi memoria, sin importar si algún día vuelvo a verlos.

La experiencia del desprendimiento de retina marcó mi vida. Nunca creí que el temor se apoderara de mí con tan sólo pensar que podía quedar completamente ciega si la retina no lograba pegarse a la perfección.

Fueron momentos de mucha tristeza y desesperación que invadían mi alma, pero la misericordia de Dios me alcanzó y pude recuperarme.

Creo que el desprendimiento de retina me permitió aprender a depender más de Dios y a comprender que nada pasa por casualidad en este mundo.

Debido a la presión que se ejerció en ambas cirugías, parte del líquido acuoso se trasladó a mi campo visual y quedé viendo algunos movimientos que sólo puedo percibir yo dentro de mi ojo; pero aun así agradezco y alabo el nombre del señor Jesucristo, por haber tenido tanta misericordia de mí y permitirme seguir mirando el hermoso mundo y la hermosa naturaleza que él creó para mi disfrute.

"Dios es nuestro amparo y fortaleza, nuestro pronto auxilio en las tribulaciones. Por tanto, no temeremos, aunque la tierra sea removida, y se traspasen los montes al corazón del mar."
Salmos 46:1-2

El milagro de Dios está en mí

Capítulo 3
Lo inesperado

Varios meses después de mi cirugía de retina y con la recuperación en curso, mi madre empezó a sentirse mal. Aun así seguía trabajando, pero un día no pudo más con el dolor.

Yo estaba en el hospital y ella había salido a laborar, como siempre. Al llegar a casa a las 7 de la noche ese martes de diciembre de 2019, encontré extraño que mi madre no hubiera llegado. Empecé a preocuparme y le pregunté a mi vecina si la había visto, a lo que contestó que no.

Una o dos horas más tarde sonó mi teléfono. Era ella desesperada, y llorando y me dijo: "hija van a tener que operarme de emergencia...". Sentí un frío invadiéndome de la cabeza a los pies, no sabía qué decir, a lo que ella dijo: "tendrán que extraerme el apéndice".

Escucharla fue desesperante para mí. Yo estaba en plena recuperación y no podía ir al hospital a estar con la mujer que más amo en este mundo. Esa noche no cerré los ojos, ¡fue agobiante!

41

Mi hermana estuvo con ella en el hospital junto a mi padre. Ellos le dieron el apoyo que en ese momento yo no pude darle. Duró unos días en el hospital y luego regresó a casa.

Entre mi hermana y yo cuidamos unos días a mi madre, hasta que pudo ponerse de pie nuevamente. Gracias a Dios todo salió bien y mi madre se recuperó.

No mucho tiempo después de la cirugía de mi mamá llegó lo inesperado.

Estaba acostada en la cama de la habitación donde vivíamos, realizando los acostumbrados chequeos rutinarios en mis mamas, y fue ahí cuando en mi seno derecho detecté una bola grande que me dolía. En las mañanas era pequeña, pero al ir aumentando las horas del día se hacía más grande y dolorosa. Le comenté a mi madre e hicimos algunos remedios caseros, pero veíamos que nada daba resultado. Traté de buscar la manera de ir a un médico, pero fue imposible.

Tenía viaje pautado a República Dominicana para el 1 de enero de 2020, así que mis planes siguieron en curso y decidí que el día 2 de enero, al llegar a mi país, iría inmediatamente a ver a mi ginecóloga para que me indicara una sonografía y así ver qué estaba ocurriendo.

Recuerdo que estábamos preocupadas, pues la bola era muy grande y me dolía bastante.

El día 1 de enero de 2020, antes de regresar a mi país, mi madre me dio un anillo y me dijo estas palabras que definitivamente marcaron el inicio de algo inimaginable: "hija, te doy este anillo y es un pacto entre Dios, tú y yo. No importa lo que sea que esté pasando, permaneceremos juntas y lo superaremos, lo que te esté pasando no es para muerte, esto es para vida".

Palabras llenas de sabiduría, amor, ternura y dulzura fueron las pronunciadas por mi madre en ese momento, cuando iba a regresar a mi país, donde tendría que estar nuevamente sin ella y sin mi familia.

Allí me esperaban Dúo y su hermanita Lari, mis dos niñas a las que tanto quiero y quienes se convertirían en personas que permanecerían conmigo en esos meses.

Al día siguiente, 2 de enero, me desperté temprano y fui a la clínica acompañada de mi amada hija Dúo. Como mi ginecóloga no estaba presente debido a que se encontraba de vacaciones, me atendió otra doctora, la cual me examinó y mandó a realizar diferentes estudios para ver lo que estaba pasando en mi mama derecha.

Realizaron una sonografía, pero la doctora quedó inconforme, ya que no se comparaba con las medidas que ella había palpado y las que se veían en el estudio que había hecho, por lo que le pidió a una oncóloga que se encontraba en la clínica que me examinara, y sus palabras fueron: "necesita hacerse una biopsia".

Busqué la aprobación del seguro de salud y procedieron a la realización de la biopsia. A todo esto, mi princesa siempre estaba junto a mí, y mi madre, padre y hermana estaban al pendiente de todo el proceso por el que estaba pasando.

Cuando me entregaron los resultados me sentí feliz y llena de esperanzas, ya que decía que no se encontraron células malignas; el problema es que el dolor y la bola seguían en aumento.

No quedé convencida con dichos resultados y decidí ir al oncológico, allí me encontré con un doctor, un tanto brusco a mi entender, miró los resultados de las muestras que habían tomado anteriormente, me examinó y me dijo:

—Ponte paños de agua tibia con sal durante 30 días. Eso no es nada, puede ser un vello infectado.

—Está bien —le contesté un poco sorprendida.

Al llegar a casa le comenté lo ocurrido a mi madre y ella no estuvo de acuerdo. Duré unos días haciendo lo indicado por el médico, pero cuando ya iba por el día tres, el dolor aumentaba y mi seno estaba empezando a ponerse amarillo y verde.

Mi tía se puso en contacto conmigo y me refirió donde su ginecóloga, la cual desde que me examinó me expresó que mi caso no era para ella, y me refirió a una oncóloga con más experiencia.

Inmediatamente tuve una consulta con la nueva doctora. Aunque les confieso que estaba un poco asustada, Dúo siempre estuvo a mi lado apoyándome, y en cada lugar que yo iba ahí estaba ella.

La nueva doctora me dijo:

—Tenemos que realizarte otra biopsia, ya que estos resultados no son convincentes.

Ella pautó la biopsia para el 21 de febrero de 2020. Ese día Dúo y yo fuimos muy temprano al hospital para realizar el procedimiento. Sin embargo, al despertar de la anestesia me encontré con un drenaje en mi mama derecha. Me habían realizado una lumpectomía y extrajeron por completo el tumor, pero no las raíces.

El tumor extraído fue enviado a patología. Mi niña Dúo tuvo que enfrentarse a todo eso, pues ella llevó las muestras al laboratorio que se encargaría de analizarlas y diagnosticar.

Ese día fue incómodo, tanto para ella como para mí, pues llegamos muy temprano al hospital y aún eran las ocho de la noche y estábamos ahí, debido a que cuando me iban a dar el alta ¡me desmayé!

Los siguientes días sentía como que algo aprisionaba mi garganta, todo porque estábamos esperando los resultados de la biopsia. Dúo siempre estuvo a mi lado, apoyándome y ayudándome en todo lo que ella podía, al igual que otras personas de mi familia.

Mami, mi hermana y mi padre seguían pendientes de mí a distancia, pero ahí estaban. El apoyo familiar es lo que más anhelamos y necesitamos cuando estamos en una circunstancia en la que no sabemos qué va a pasar con nosotros.

El lunes 2 de marzo me llamaron del consultorio de la doctora para decirme que los resultados estaban listos y debía pasar a recogerlos, pero que debía ir acompañada, cosa que para mí resultó un tanto extraña. Pensé que para qué ir con alguien si yo era capaz de recibir unos resultados sola.

Ese día le pedí a la madre de Dúo que nos acompañara a la clínica y ella accedió a ir con nosotras.

Cuando llegamos al consultorio se sentía un ambiente pesado, y la voz de la doctora no sonó tan tranquila como siempre.

Dúo se sentó a mi mano derecha y su madre se colocó detrás de mí. Al parecer la doctora no tenía un rostro muy sonriente, puesto que cuando me habló se escuchó de sus labios una voz intranquila.

—Tienes cáncer... pero no significa que te vayas a morir —dijo.

Recuerdo que miré hacia el cielo con los ojos llenos de lágrimas y dije...

"¡Dios mío, ayúdame!"

—Tendremos que ponerte un puerto de quimioterapia para iniciar lo más pronto posible el tratamiento —continuó la doctora —y después de las quimioterapias te extirparemos el seno.

—Usted no me va a cortar mi teta —contesté —Dios hace milagros y él puede sanarme, Dios sigue siendo el Dios de milagros de ayer, de hoy y de siempre.

Luego di un puñetazo en el escritorio de la doctora.

Le pregunté si las quimioterapias podían tener algún efecto secundario sobre mi vista, a lo que me dijo: "eso no lo sé, pero si es así, debes elegir entre estar viva y ciega o morirte".

Esas palabras me hundieron. Quería que la tierra se abriera y me tragara, no sabía qué hacer, y mucho menos sabía cómo iba a decirle una noticia tan dura a mi familia. Sobre todo, pensaba cómo reaccionaría mi madre, esa mujer tan importante en mi vida.

Recuerdo que la madre de Dúo, que estaba detrás de mí, me abrazó por la espalda y recostó mi cabeza en su estómago; Dúo estaba a mi lado, me tomó las manos y me tiró el brazo por el hombro. Yo solo la miraba y lloraba.

La doctora me dijo que debía ver un psiquiatra, y que sería de suma importancia que alguien me acompañara en un momento tan crucial de mi vida, como lo era estar enfrentando una noticia como esta.

Le dije que yo no estaba loca y que no necesitaba ningún psiquiatra, a lo que ella me respondió: "no es porque estés loca, tú eres psicóloga y sabes que necesitas apoyo emocional". Y aunque era una noticia horrorosa para mí, le dije que no pensaba ir a ningún psiquiatra.

Entonces me dijo: "tenemos que iniciar de una vez todos los estudios para llevarte a quirófano y colocarte el catéter". Me explicó que tendría que hacer algunos estudios para ver que el cáncer no se encontrara en ninguna otra parte de mi cuerpo, y conocer la etapa en la que estaba.

Le dije que Dios podía sanarme, que Dios hacía milagros, y ella me respondió: "sí. Yo sé que Dios hace milagros, porque mis hijas son un milagro de Dios".

La doctora me dijo que yo podía hacer todos los remedios que quisiera, pero tenía que hacer lo que ella me indicara, a lo que le contesté: "¡no he dicho que voy a hacerlo, pero tampoco he dicho que no lo haré!"

Fue uno de los momentos más duros de mi vida cuando ella me dijo: "es cáncer triple negativo, el peor de todos. Es muy agresivo y necesitas atenderte pronto".

Fue una frustración terrible para mí tener que enfrentar una noticia tan desagradable sin estar cerca de la persona que más amo en mi vida: mi madre.

Cuando salí del consultorio estaba hecha un mar de lágrimas, pero recuerdo las palabras de la secretaria de mi doctora: "no dejes de sonreír, vas a salir adelante. Tienes una sonrisa muy linda, no dejes que nada la apague, Dios te va a ayudar y lo superarás".

Al salir del hospital sentía que caminaba en el aire. Era extremadamente horrorosa la sensación que estaba sintiendo en mi cuerpo. Mi mente no dejaba de dar vueltas y pensar…

¿Ahora qué va a pasar conmigo?

¿Qué voy a hacer?

¿Cómo se lo digo a mi familia?

¡Dios mío, ayúdame!

Cuando regresamos a casa le dije a la madre de Dúo:

—Llama a mi mamá, pues yo no sé cómo decírselo, no tengo el valor para hacerles saber una noticia tan horrorosa como esta.

Llamó a mi hermana por teléfono a Estados Unidos donde estaba el resto de mi familia. Estaban sentados en el comedor de su casa comiendo cuando recibieron la llamada y la madre de Dúo les dio la noticia. Mi hermana se quedó en shock, fue horrible.

Cuando le pasaron el teléfono a mi mamá para hablar con ella, sonó en la bocina el grito más desesperante que jamás había escuchado en mi vida. Un grito de dolor tan angustiante como cuando te cortan una parte de tu cuerpo y no te anestesian.

Ese grito jamás he podido sacarlo de mi memoria, se quedó clavado en mí y creo que lo recordaré hasta el último día de respiración que Dios me regale en esta vida.

Mi familia quedó destrozada con aquella noticia y yo sentía que la vida se me estaba yendo en un suspiro.

Empecé a investigar cuál sería el proceso que debería seguir para iniciar las quimioterapias en mi país. Cuando inquirí con mi seguro de salud cuánto costaban me dijeron que debería pagar diario 20,000 pesos, por lo que honestamente me llevé las manos a la cabeza y me dije: "¡Dios mío! Apenas gano mensual 25,000 pesos, ¿cómo voy a pagar unas quimioterapias tan caras?". No tenía ni idea de lo que iba a hacer, pero Dios sí sabía cómo iban a pasar las cosas, pues también todo este dolor era parte de un propósito en mi vida y en la de los míos.

Los días siguientes preparé citas para hacerme exámenes, los cuales debía entregar a mi doctora para verificar que todo mi cuerpo estuviera saludable, y así fue.

En todo momento Dúo y muchas personas de mi familia estuvieron brindándome su apoyo emocional y físico. Aun así, estaba destrozada por dentro, aunque trataba de ser fuerte para que mi familia no se derrumbara.

La verdad, lo único que quería era que me dijeran que había sido un error, que yo no estaba enferma, que no tendría que pasar por algo tan angustioso como lo era el cáncer.

Recuerdo que siempre miraba en la televisión los anuncios de los niños con cáncer y mi corazón se entristecía al verlos sufrir, pero nunca pensé que me tocaría a mí, que tendría que vivirlo en carne propia.

Dúo nunca se separó de mí. Procuraba siempre estar cerca para ayudarme en cualquier cosa que yo necesitara y para mantener mi cabeza ocupada, pues ella sabía que si me quedaba sola iba a ser terrible para mí en el estado emocional y de salud en el que yo me encontraba.

Era demasiado fuerte asimilar de golpe todo lo que había ocurrido en fracciones de segundos. Mi vida cambió en un minuto de estar saludable a tener cáncer de mama triple negativo. Un gran porcentaje de las mujeres que padecen ese tipo de cáncer terminan falleciendo, según las estadísticas que había investigado en ese entonces.

Doy gracias a Dios porque en ningún momento cuestioné lo que estaba pasando, nunca pregunté: "¿Por qué a mí Señor?"

Sabía que esa pregunta no debía hacerla a Dios, aunque en mi cabeza quisiera hacerla debía mantenerla lejos de mí, pues yo sabía que eso podría traer más dolor y depresión a mi vida.

Empezaron a aparecer las personas que me decían: "no entiendo, ¿por qué a ti si tú no eres una persona mala? Tú no vives haciendo cosas en la calle, solo te dedicas a estudiar, trabajar y a tu casa, ¿por qué a ti?"

Pero yo les contestaba: "Yo no pregunto por qué, pregunto para qué". Ésa era la forma de menguar un poco el dolor y la angustia que me estaba comiendo el alma y el cuerpo.

Mi madre se sentó a conversar con mi padre y mi hermana y les dijo que quería llevarme a los Estados Unidos para ver de qué forma podían ayudarme a superar todo esto. Hubo algunas conversaciones, y entre muchas otras cosas que prefiero no comentar por derecho a la intimidad familiar, pero sí puedo decirles que finalmente mi madre decidió llevarme a Estados Unidos.

Todo el dinero que tenía se había ido en estudios y médicos para verificar la situación del cáncer. Había tenido vacaciones de mi empleo en esos días, y todo el dinero se consumió en un abrir y cerrar de ojos, por lo que no tenía 1/100 para pagar un vuelo y viajar a los Estados Unidos.

Mi tía se ofreció a comprar el pasaje sin importar el precio que tuviera que pagar para que yo pudiera estar junto a mi familia en un momento tan duro. Sabía que el estar con ellos me iba a facilitar un poco más las cosas y que tal vez me sentiría mejor.

El viernes 6 de marzo de 2020 ingresé a los Estados Unidos para ver que podíamos hacer y que mi calidad de vida fuese mejor. Estábamos ahogados en un solo dolor y angustia. Sabíamos claramente que la mano de Dios estaba sobre nosotros y que Dios no me dejaría sola. Él nos ayudaría a sobrepasar esta situación que tanto daño nos hacía. Él lo estaba permitiendo con un propósito especial, y era mostrar su gloria y poder.

Desde que me habían diagnosticado el cáncer no podía comer sin que me diera náuseas, todo lo que comía lo vomitaba, era desesperante la situación que estaba pasando. Cada día que amanecía, media hora antes de ingerir cualquier alimento, debía tomar una pastilla para poder aguantar el estómago.

Los días siguientes a mi llegada a Estados Unidos al lado de mi madre fueron más llevaderos para mí, ya que ella me cuidó con todo su amor y cariño para que yo pudiera sentirme mejor.

Habíamos acordado que el lunes de la siguiente semana iríamos al hospital a emergencias. Sin embargo, fue imposible hacerlo, ya que el día que teníamos acordado para ir, tuvieron que operar a mi hermana de los ojos por una cirugía de emergencia, pues la presión ocular se había disparado y si no se hacía algo al respecto ella podría hasta perder sus ojos.

Esta alza de presión se debió a lo impactante de la noticia que había recibido una semana atrás.

¡Mi mundo se volvió trizas en un minuto!

¡Mi familia estaba destrozada!

¡Ya no sabía si viviría o moriría!

¡Era algo verdaderamente angustiante!

Entonces Jesús le dijo:
-Yo soy la resurrección y la vida.
El que cree en mí vivirá, aunque muera;
y todo el que vive y cree en mí no morirá
jamás.
¿Crees esto?
Juan 11:25-26

Capítulo 4
La pandemia

A los pocos días de llegar a Estados Unidos, con toda la angustia que me estaba pasando y la desesperación que agobiaba completamente a mi familia, se produjo mundialmente la pandemia del COVID-19, por esta causa todas las actividades empezaron a paralizarse. No se podía ir a los hospitales, no se podía salir libremente a las calles... el mundo estaba hecho un verdadero caos en todos los sentidos.

Por tal razón tuve que retrasar la ida al hospital, puesto que sólo estaban atendiendo emergencias, y como ya a mí me habían realizado una cirugía antes de llegar a los Estados Unidos, decidimos orar.

Dios puso una luz en medio del camino cuando nos dimos cuenta de que mi hermana estaba tratándose con un médico naturalista, que le ayudaba con algunos asuntos de salud en ese momento.

Una noche durmiendo, Dios puso en el corazón de mi madre que le pidiera el teléfono de ese médico a mi hermana, para ella ponerse en contacto con él y conversar sobre la situación de salud que yo estaba padeciendo.

Al hablar con él lo primero que hizo fue enviarme unas hierbas y unos medicamentos para iniciar una desintoxicación en mi cuerpo y así poder iniciar un tratamiento natural que me ayudaría a aligerar la carga.

Estuve en tratamiento natural con él aproximadamente seis meses, tomaba hierbas, pastillas naturales y por último cuatro sesiones de ozono.

La situación de la pandemia empeoraba cada vez más. Cada día que pasaba eran más las muertes y personas infectadas de COVID-19, cada vez más los hospitales abarrotados sin camas y limitando la entrada de las personas a menos que fuese por una causa muy grave.

Nos pusimos en contacto con el médico y envió una serie de pastillas naturales para empezar mi tratamiento. Todo era muy costoso, pero mi madre, mi padre, mi hermana, mi cuñado y muchas amistades contribuyeron para que yo pudiera llevar a cabo el tratamiento.

Después de unos meses de estar ingiriendo los medicamentos naturales que el médico me había mandado, volvió a brotar el cáncer, y esta vez encima de la piel del seno derecho.

Le comenté al doctor lo que me estaba pasando. Él me dijo que lo mejor que podía pasar era que se abrieran las pelotitas y expulsara toda esa infección que llevaba dentro.

Exactamente un mes después ocurrió lo que él había dicho, las pelotitas se abrieron y empecé a expulsar una infección excesivamente amarilla, tenía que usar muchas gasas al día para poder contrarrestar ese pus que estaba expulsando de mi pecho.

Seguí en el tratamiento con él. Él me daba seguimiento a través del teléfono, ya que estaba en otro estado y yo no podía viajar en ese entonces debido a la pandemia mundial.

Unos meses más tarde planeamos que yo debería ir donde él estaba para darme un tratamiento complementario de ozono.

El tratamiento natural fue uno de los medios que Dios utilizó para que yo pudiera expulsar toda esa infección que estaba guardada dentro de mi cuerpo.

En el mes de junio decidimos la fecha para volar a Texas, donde se encontraba el médico naturalista.

Estuvimos el mes de julio y agosto con el tratamiento, pero en lugar del cáncer retroceder estaba aumentando su agresividad, ya que habían crecido cuatro tumores bastante grandes encima de mi piel.

El tratamiento natural hizo hasta donde Dios le permitió, pero ya no era cuestión de cosas naturales, había que buscar otra solución para yo poder seguir viviendo.

Agradezco a Dios por la vida del médico y su esposa, pues ellos fueron unos ángeles que Dios nos puso en Texas cuando tuvimos que dejar a nuestra familia en NY y salir a un rumbo desconocido donde no teníamos nada ni a nadie. Teníamos al más importante de todos, a Dios. Pero físicamente no había ninguna otra persona con nosotras.

Ellos fueron las personas que nos abrieron las puertas de su corazón y nos extendieron las manos cuando más lo necesitábamos.

Los meses desde julio hasta octubre fueron desesperantes para mí, ya que en el proceso de agresividad que llevaba el cáncer faltó muy poco para que me matara, la misericordia de Dios se hizo latente en mi vida y no dejó que la muerte me llevara.

Los días eran intensos, las noches se sentían interminables, el llanto que corría por mis mejillas era como un río inagotable, la desesperación de mi familia, las lágrimas de mi madre y la angustia que nos invadían el alma eran demasiado fuertes.

Dios seguía ahí, pendiente de nuestra angustia, extendiendo sus manos para no dejarnos caer, abrazándonos fuertemente contra su pecho y diciéndonos sin palabras: "¡Mis hijas, todo estará bien!".

El dolor era tan fuerte que en menos de 4 meses consumí 4 potes de la pastilla Tylenol de 650 miligramos.

Esos meses el dolor era insoportable, no podía comer bien, no podía dormir, era difícil para mí estar acostada o sentada, sólo era un dolor indescriptible, un dolor que me estaba partiendo el alma y destruyendo mi cuerpo, físicamente era algo inaguantable.

Poco a poco sentía que la vida se me iba, veía a mi madre cambiar las gasas varias veces al día de mi pecho con una voz quebrada, dándome palabras de aliento y fortaleza, pero sé que al yo tratar de cerrar mis ojos ella lloraba en silencio y clamaba a Dios para que tuviera misericordia de mí y me sanara de aquella terrible enfermedad.

Era algo tan duro y difícil para ella verme en aquella situación sin poder hacer absolutamente nada, sólo orar y esperar.

Dúo siempre estaba ahí a pesar de la distancia. Me llamaba, me escribía, siempre preocupándose por cómo estaría su madre, como ella siempre me ha dicho; su hermanita Lari también estuvo pendiente de mí, esas 2 chicas son y serán siempre parte importante en mi vida, más que mis primas las quiero como si fueran mis hijas.

Me partía el alma ver como toda mi familia estaba sufriendo conmigo la situación tan desgastante que es tener un familiar con cáncer.

No es fácil ver a un amigo con cáncer, pero créeme es mucho peor tener a un familiar con una enfermedad tan destructiva, es demasiado angustioso y frustrante tener que convivir día y noche con esa persona, ver cómo el cáncer lo va destruyendo y no poder hacer nada.

Durante esos meses de tanto dolor y angustia mi fe fue creciendo más y más cada día.

Dios se encargaba de dar aire fresco y aliento, así como también, una gran paz y fortaleza que sobrepasa cualquier entendimiento humano. Sin Dios no hubiese sido posible escapar de la muerte.

El cáncer quiso llevarse mi vida entre las manos, pero el propósito de Dios era otro, era unificar mi familia, era traer sanidad al corazón de tanta gente que necesita escuchar una palabra de fortaleza, gente que está pasando por la misma situación que yo pasé, gente que necesita saber que en Dios hay paz, que en Dios hay fortaleza y que Dios sigue siendo un Dios de milagros.

En esos días tan intensos donde mi vida parecía totalmente negra, donde muchas veces el enemigo quiso traer a mi corazón la idea de que ya no había esperanza para mí. Creí en un momento determinado que perdería la vida, que dejaría a los míos con un dolor intenso en el corazón por haberme perdido.

Sentí que el cáncer acabaría por terminar con la vida que yo tenía. Ahí, en esos momentos donde todo era incierto, la misericordia de Dios se hizo presente en mi vida y nuevamente volví a resurgir de las cenizas en las que estaba sumergida.

La misericordia de Dios, su mano poderosa y su amor fue lo que me ayudó para no deprimirme. Puedo decirles que pocas veces llegó la depresión a mi vida, y así mismo, cuando me daba cuenta de que la depresión quería adueñarse de mi mente y mi cuerpo, Dios me permitía reconocerla para echarla fuera de mí.

La canción de un joven que decía: "...sólo tú, sólo tú me puedes levantar, sólo tú... sólo tú me puedes ayudar...", esas palabras se iban a lo más hondo de mi corazón y me daban fuerzas para seguir clamando a Dios, pidiendo misericordia para mi vida, diciéndole: "¡Señor, ayúdame! ¡Ya no puedo más!"

Era una oración constante, una oración desesperada que salía de mi ser, era un llanto inagotable, era una situación con la que sentía que ya no podía. Era demasiado para mí.

Toda mi vida se había derrumbado, sentía que las fuerzas se me habían acabado; y la mente, el campo de batalla que tiene el ser humano, quería traicionarme y hacerme creer que Dios me había dejado sola.

Dios estaba en silencio trabajando, mostrándome que él nunca me había dejado, que simplemente estaba obrando su gran milagro en mi vida.

Capítulo 5
Toma de decisión

En octubre 2020 mi madre decidió llevarme a la emergencia de un hospital en Texas, ya que los tumores habían crecido excesivamente y mi seno se empezó a poner de color negro. Faltó muy poco para que se pudriera.

El médico consiguió la aplicación de ayuda financiera de un hospital y me dijo: "trata de que te operen el pecho". Era lo que todos queríamos.

Llenamos la aplicación y un amigo mío fue quien hizo la carta de patrocinio para poder ir al hospital, y así poder obtener la ayuda financiera llamada tarjeta dorada.

Todos estábamos orando para que no fuese necesario extirpar mi seno, esperábamos un milagro creativo de Dios.

Necesitábamos algo que fuera contundente y que pudiera terminar con tanto dolor y desesperación en mi vida.

—Vamos a la emergencia, ya no podemos seguir así, necesitamos hacer algo —dijo mi madre.

Desde siempre había escuchado que las quimioterapias son buenas y dañinas al mismo tiempo, ya que descontrolan todas las funciones de tu cuerpo y organismo. Son un veneno letal para el cáncer, pero también destruyen muchas células buenas que tienes en el cuerpo.

Fui al hospital y cuando la doctora me examinó fue fuerte ver su cara de asombro por la situación en la que vio mi pecho derecho; su reacción instantánea fue decir: "¡si no te das la quimioterapia vas a morir en un año!".

Esas palabras sonaron en mi cabeza y mi corazón se llenó de una tristeza tan grande que se reflejó en mi rostro.

—Hija, cambia esa tristeza, sácala de tus ojos, Dios está con nosotras —me consoló mi madre.

Recuerdo haberle dicho a la doctora: "Usted no es Dios para decirme cuándo me voy a morir".

Créanme que la tristeza me embargó de una forma tal que, si no hubiese tenido a Dios en mi corazón, ese mismo día me hubiese quitado la vida y habría acabado con tanto dolor y desesperación.

En el hospital me hicieron varias biopsias, algunos análisis y otros estudios para verificar que el cáncer era triple negativo y ver si estaba apta para una cirugía.

Se llegó a la conclusión de que no podían operarme, puesto que, si lo hacían, en ese momento el cáncer se esparciría por todo mi cuerpo y terminaría matándome.

Días después me dijeron que debía someterme primero a quimioterapias, luego a una cirugía para extraer mi pecho y luego a radioterapias.

No nos hallábamos de acuerdo con las quimioterapias por lo anteriormente expuesto, yo no quería someterme a ese tratamiento, pues había escuchado lo fuerte y destructivo que es para las personas someterse a dichas terapias. Pero cuando me dijeron que era la opción que tenía para tratar de eliminar el cáncer de mi vida le pedí dirección a Dios y le dije: "Señor, si es tu voluntad que yo me someta a las quimioterapias, entonces busca la manera de hablarme a través de alguien, o a través de un sueño, sólo así me someteré al tratamiento".

Unos días después me llamó un amigo de República Dominicana y me dijo que había sentido la necesidad de llamarme y decirme que debía tener como opción de tratamiento las quimioterapias. Fue ahí entonces donde dije: "Tú, Señor, me has hablado".

Fuimos al hospital y nos pusimos de acuerdo con mi oncólogo para someterme a ellas.

El 26 de octubre de 2020 fui a quirófano para colocar el catéter puerto de quimioterapias, pues ya el día 3 de noviembre iniciaría el tratamiento, el cual debería llevar una secuencia de 16 quimioterapias. Las primeras cuatro, llamadas quimioterapias rojas, son las más fuertes, y las 12 siguientes, llamadas quimioterapias blancas, son menos agresivas.

Fue así como tomamos la decisión para iniciar los tratamientos que me ayudarían a superar la enfermedad.

Mi madre había estado investigando acerca de un producto llamado Transfer Factor Plus, ya que mi hermana lo consume siempre para ayudar a mantener su sistema inmunológico alto. Mami había decidido comprar algunos para mí, para ayudarme antes de iniciar las quimioterapias, pero Dios permitió que mi cuñada me regalara algunos potes del producto, acompañados de otros llamados RíoVida de la compañía 4Life.

Fue así como me di un "bombazo", como nosotros le llamamos, lo cual estimuló mi sistema inmunológico de una forma tal que, a los tres días de haber tomado los productos naturales, los tumores empezaron a encogerse y a secarse. Fue algo extraordinario, cómo la mano de Dios obró sobre mi vida a través de esos productos.

Es un testimonio viviente lo que Dios ha hecho en mí, esos productos son maravillosos para ayudar a estimular tu sistema inmunológico y ayudarte con situaciones que piensas que no pueden ser solucionadas. Dios para todo tiene un plan, un propósito y un tiempo perfecto.

El lunes 2 de noviembre de 2020, mi madre decidió recortarme el cabello como si fuera una niña pequeña, pues los médicos ya me habían anticipado que las quimioterapias me tumbarían el cabello.

Para una mujer, su pelo es una de las cosas más importantes, algo que le da un toque de feminidad.

Me sentía feliz con mi nuevo corte de pelo pues siempre me había gustado esa forma en la que mi madre recortaba mi cabello, pero nunca pensé que la caída de pelo sería tan rápida.

"Porque él es quien hace la llaga, y él la vendará;
Él hiere, y sus manos curan"
Job 5:18

Capítulo 6
Las quimioterapias

¡Por fin! Había llegado el día de iniciar mi tratamiento con quimioterapias: martes 3 de noviembre de 2020.

Mi cita fue temprano en la mañana. Debía durar dos horas en el hospital pasándome el primer tratamiento, para ver si mi cuerpo tenía alguna reacción adversa a los medicamentos que me colocarían a través del puerto de quimioterapia que habían colocado debajo de mi piel encima del esternón en el seno izquierdo.

Efectivamente, así como ellos decían, quimioterapia roja era su color. Esta se componía de 2 tipos de medicamentos y eran tan fuertes que al ir al baño mi orine era rojo como la sangre.

Antes de iniciar el procedimiento me daban unas pastillas para las náuseas y vómitos, por si estos padecimientos aparecían durante el tratamiento o después.

Esas quimioterapias eran tan fuertes que sólo me daban una cada 15 días para permitirle a mi cuerpo recuperarse un poco.

Al día siguiente de haberme dado la primera quimioterapia mi madre se vio en la necesidad de tener que inyectarme en una parte de mi estómago para aumentar la producción de glóbulos blancos en el cuerpo, ya que las quimioterapias suelen bajar demasiado las defensas.

Ésa misma inyección, mami debía colocarla durante las siguientes tres quimioterapias un día después de cada terapia.

Gracias a Dios mi madre tuvo la valentía para hacerlo y ayudarme en cada una de las etapas difíciles por las que tuve que pasar en las quimioterapias.

Al segundo día de mi primera quimioterapia mi madre estaba peinándome y mi pelo empezó a caer por montones, lo cual fue difícil para mí de ver, pero gracias a Dios nunca llegué a deprimirme por la caída del cabello.

Unos días después mi madre me dijo: "mi niña, vamos a recortarte como un hombrecito, así sentirás menos la pérdida de tu cabello". Fue algo muy gracioso y fue lo mejor que pudo haber hecho, así evité tener que estar sufriendo por ver cómo mi pelo largo se caía por montones.

Cada día que iba al hospital oraba con las siguientes palabras: "Señor, esa camilla son tus brazos, las manos de las enfermeras son tus manos, y ese líquido que corre por mis venas es tu Espíritu Santo y tu santa presencia, y como tu Espíritu Santo y tu santa presencia no añaden dolor ni tristeza, todo estará bien".

Para gloria y honra de Dios y felicidad mía, la quimioterapia nunca me produjo náuseas que me hicieran vomitar, ni ninguno de esos síntomas feos y desagradables que siempre había escuchado les producía a las personas que se sometían a este tratamiento.

Durante todas las quimioterapias me daban unos calores insoportables, a veces sentía un dolor intenso en las coyunturas de mis manos y mis pies, el color de mi piel en el rostro parecía como si la misma muerte estuviera rondándome, al menos eso fue lo que percibió mi mamá.

Yo por mí misma no podía verlo. Pero para mami era algo sumamente desesperante, y verme en esa situación sin poder hacer nada la angustiaba aún más, viendo cómo la muerte estaba tan cerca de mí.

Los calores que me daban eran tan fuertes que sentía como si me estuviesen clavando espinas en todo el cuerpo. El médico me había dicho que la menopausia podía adelantarse con este tipo de tratamientos. Así que, efectivamente, me daban unos calientes insoportables, tenía que pasar la noche bebiendo agua, y aparte mantener mi estómago con algo de comida, no importaba la hora que fuera, para evitar que me dieran náuseas y vomitar.

Durante los siguientes meses me mantuve asistiendo a terapias, las primeras cuatro cada 15 días, y la siguientes 12 de manera semanal.

Se habían producido cambios en mi vista, puesto que antes de iniciar las quimioterapias veía más claro y bonito. Desde la segunda quimio empecé a notar la diferencia: mi vista empezó a ponerse opaca. Al darme cuenta de todo esto decidí ir al oculista, fue allí cuando nos dimos cuenta que una de las pastillas que estaba ingiriendo para las náuseas era esteroides, y que esto había afectado mi visión.

Desde el 3 de noviembre de 2020 hasta el 23 de marzo de 2021, me mantuve asistiendo a los tratamientos de quimioterapias. Fue entonces, ese glorioso 23 de marzo, cuando toqué la primera campana. ¡Ya había finalizado la primera etapa del tratamiento!

En el área de quimioterapias me encontré con enfermeras dulces, cariñosas y llenas de una ternura indescriptible, muy aptas para ayudar a que cada paciente que entrara a ese lugar se sintiera mucho mejor. Vivían ayudándome y dándome palabras de fortaleza para que pudiera sobrepasar ese momento tan difícil.

Allí también estaba Catalina, una amiga incondicional y que me ayudó a tomar algunas decisiones, como elegir una peluca junto a mi madre, y quien me daba consejos que me servirían para este proceso de cáncer.

Me embargó una emoción inexplicable, pues ya había superado otra etapa más de aquella terrible enfermedad. Ahora debíamos continuar con las demás partes del tratamiento para superar tan terrible situación.

Empezaron a hacerme diferentes estudios y análisis, pues ya habíamos pautado la cirugía para extirpar el seno para mayo 12 del 2021. Había esperado ese día con ansias, pues ya al fin podrían quitar de mi cuerpo la parte que se había afectado por el cáncer.

Me realizaron un escaneo donde se pudo visualizar que el tumor se había reducido a cicatrización única y exclusivamente, ¡qué ya no estaba en el lugar!

Gracias le doy a Dios por los médicos y enfermeras que ha puesto en medio de este proceso a mi alrededor para cuidarme, para apoyarme en todo lo que he necesitado como paciente de una enfermedad tan desastrosa como lo es el cáncer.

Cada día que pasaba era una nueva experiencia para mí.

"Estoy debilitado y molido en gran manera;
Gimo a causa de la conmoción de mi
corazón."
Salmos 38:8

Capítulo 7
La cirugía

El 12 de mayo de 2021 fue la cirugía para extraer mi pecho derecho.

Me presenté temprano al hospital y las emociones invadieron mi corazón y mi cuerpo. Sería la última vez que tendría mis dos pechos. Fue un proceso entender que a partir de ese día sólo tendría un pecho y que me tocaría aprender a vivir de esa forma.

Recuerdo que le pedí al equipo que iba a estar conmigo en cirugía que oráramos juntos antes de ir al quirófano.

Dios ha sido tan bueno y misericordioso conmigo que en todo este proceso me ha ayudado a asimilar que el que me falte un seno no significa que sea menos mujer que las demás, al menos así fue que lo interpreté y fue mucho más fácil para mí sobrellevar la pérdida de una de mis mamas.

Al salir del quirófano y despertar de la anestesia me informaron que debería quedarme en el hospital hasta el día siguiente, cuando mi médico me diera el alta, mientras que mi madre debería regresar a casa. Fue un poco chocante para mí, puesto que nunca en mi vida me había quedado sola en ningún lugar de esa magnitud.

Cuando me llevaron a la habitación mi madre me dio de comer y se retiró a la casa. Las enfermeras iban cada dos o tres horas a chequear si estaba bien y si tenía dolor.

Me sentía feliz y agradecida de Dios por haberme dado una nueva oportunidad de vida, aunque ya con un pecho menos.

Varias personas me llamaron al celular mientras estuve hospitalizada. Aquella noche tenía un gozo inexplicable, no sabía cómo expresar la gratitud que sentía hacia Dios.

Yo estaba más que segura de que ya en mi cuerpo no quedaba un solo rastro de cáncer con aquella cirugía.

Dúo me llamó y me dijo que yo no parecía que acababa de salir de un quirófano, pues tenía una alegría tan contagiosa que a todo el que me llamaba lo hacía sonreír. Estaban felices y llenos de alegría, al igual que mi familia y yo.

El gozo inefable de la gran bendición de tener a Dios en mi vida, la alegría inmensa de saber que seguía viva junto a los míos, la misericordia, el amor y la gracia de Dios sobre mí eran las que me permitían tener un gozo inexplicable aquel día, después de haber salido de un quirófano con un pecho menos.

Así fueron transcurriendo los días desde mi cirugía. Me pusieron un pegamento encima de la piel para unirla y los puntos por dentro, llevaba también dos drenajes el día que me fui a casa.

Mi madre se encargaría de medir cuál era el líquido que fluía diariamente en ellos y limpiarlos, era una tarea que sólo una verdadera madre con tanto amor por su hija podría realizar.

Día tras día me bañaba con toda su calma y paciencia, me alimentaba, y tenía el máximo cuidado para que yo estuviera bien con todo lo que necesitara, ésas siguientes dos semanas fueron tranquilas. Había momentos en que no podía dormir debido a la faja de compresión que me había colocado, tenía que permanecer con ella dos semanas y luego retirarla.

El día que tocaba quitar la faja fue un poco incómodo para mí, pues ni mi madre ni yo estábamos dispuestas a retirarla por no saber qué encontraríamos ahí debajo.

Al retirar la faja, cuando me vi el lado derecho sin mi pecho, fue triste y doloroso para mí, pues sentí que me habían mutilado el cuerpo. Lloré como una niña pequeña desesperada y angustiada, pero ahí estaba Dios, ahí estaba también mi madre dándome su apoyo incondicional, para que pudiese rebasar cualquier cosa.

Lloré un rato y después de haberme bañado mi madre me ayudó a secar la herida y volvió a colocarme la faja.

Días después acudí a mi consulta de rutina para chequear que todo fuese bien con la cicatrización.

Mi madre le comentó a la doctora que había visto algo inusual debajo del pegamento que tenía en mi piel, a lo que la doctora contestó que todo estaba bien. Sin embargo, la preocupación de mi madre y mía seguía latente, ya que las cosas no se veían bien.

Volví a acudir a la clínica y le hice el comentario a la cirujana nuevamente, a lo que volvió a contestar que era un proceso normal, que todo cicatrizaría bien y que las cosas irían normalmente, como se esperaba.

Días después me vi obligada a ir a la emergencia del hospital, ya que cuando mi madre me estaba higienizando la herida se percató de que había una pequeña infección que supuraba.

Efectivamente, la herida se había infectado. Me realizaron estudios de sangre y un ultrasonido en tiempo real y se dieron cuenta de que la infección no era tan extensa, por lo que decidieron darme 10 días más de antibióticos.

Gracias a Dios, mi mamá detectó la situación a tiempo y pudimos ir al hospital. Con los medicamentos que me recetó el doctor que me atendió fue suficiente para curar dicha infección.

Dios seguía en control, proveyendo cada una de las cosas que necesitábamos. Desde una cama, alimentos, sillas, ropa y muchas otras cosas, se encargó Jehová poco a poco y en su tiempo las fue supliendo.

Luego de dos meses debía seguir la acción para lograr la sanidad completa.

Me hicieron los estudios para iniciar el siguiente proceso: la radiación, y cuando llegaron los resultados de la analítica de la extracción de mi mama derecha, fue una grata noticia. La respuesta completa al tratamiento: ¡Ya no hay cáncer!

Me invadió una felicidad inexplicable. Levanté las manos al cielo y agradecí a Dios por tanto amor y misericordia que ha tenido para mi vida.

Le comenté a mi madre, llamé a mi familia, a mi preciosa hija Dúo y les conté a todos la maravilla del milagro que Dios había hecho en mí.

Mi doctor se puso feliz, todo mi equipo médico me felicitó y me dijeron: "¡buen trabajo!" a lo que yo respondí: "¡la gloria y honra sean de Dios! Pues es Dios quien lo ha hecho y les ha dado la sabiduría a ustedes para que me ayuden a recuperar mi salud".

Ahora tengo 3 días en el año donde celebro la vida: Mi nacimiento, el día en que terminé mis quimioterapias, y el día en que me dieron los resultados finales después de la operación.

¡Sin fe es imposible agradar a Dios!

En la biblia dice que todo es posible a los que creen en Él. Por eso, yo estaba segura de que recibiría mi milagro. Aunque mis ojos no lo miraban, en lo profundo de mi corazón sabía que Dios estaba obrando a mi favor. La Palabra de Dios nos muestra que los médicos son puestos en la tierra por él. Así mismo podemos ver que el apóstol Lucas era médico.

"Es, pues, la fe la certeza de lo que se espera, la convicción de lo que no se ve".
Hebreos 11-1

Capítulo 8
Las radiaciones

En julio 15 de 2021 empezaría el proceso con el cual culminaría el largo año de tratamiento al que tuve que ser sometida, para poder eliminar por completo el cáncer de mi cuerpo.

Semanas antes de iniciar la radiación pasé por un proceso de simulación, donde marcaron mi cuerpo con diferentes tintas para así poder alinearme en la máquina que sería mi compañera por 30 días.

Dios puso en mi camino unas enfermeras excelentes, entregadas a su trabajo, con pasión por lo que hacen, cariñosas. Mujeres que saben tratar a los pacientes que llegan allí con tanta angustia, desesperación y dolor.

Desde el día 15 de julio empecé a ir diariamente al hospital hasta el 26 de agosto, fecha de mi última radiación.

Cada día debía llegar temprano al hospital, pues mi cita era a las 12 del mediodía. Era más tiempo lo que duraban acomodándome en la camilla para quedar siempre en la misma posición y que la radiación se diera en el mismo lugar siempre. La máquina apenas me radiaba durante un minuto en el área donde había estado el cáncer, donde habían extirpado mi seno.

Las personas me habían dicho que las radiaciones serían un tanto menos incómodas, pero que también daban muchos síntomas. Les confieso que me atemoricé un poco.

Le dije a Dios: "Señor, tú sigues en control y todo estará bien, así como cuando estaba dándome las quimioterapias".

Oraba cuando estaba en las radiaciones: "Señor, que esa camilla sean tus brazos y que esa máquina sea guiada por tus manos, para que la radiación caiga en el lugar correcto".

Así fue día tras día durante todo el proceso del tratamiento. Dios estuvo siempre a mi lado, respaldándome y sosteniéndome en sus brazos, dándome una fortaleza extraordinaria.

En el hospital me dieron una crema para usarla durante todo el proceso de radiación, pero no la usé más de 5 veces, pues se pegaba mucho a la piel y para retirarla era muy complicado, porque me lastimaba mucho la herida.

Nunca le comenté a las enfermeras que en su lugar usaba aceite de coco orgánico y fue algo maravilloso. Lo que me pasó durante el tiempo de mis radiaciones es que nunca se inflamó mi piel tanto como ellos esperaban.

Humanamente es inexplicable cómo yo pasé el proceso de quimioterapias y cómo asimilé el proceso y la extirpación de mi pecho, cómo pude manejar que se cayera todo mi pelo. Son cosas muy difíciles de soportar, pero son posibles si tienes a Dios en el corazón.

Justo al terminar las radiaciones, vi cómo se empezó a quemar exageradamente mi piel, me salieron llagas y empecé a descamarme como un árbol cuando está cambiando su caparazón.

Mis enfermeras me dijeron que debía ponerme la crema con más frecuencia, pero lo que yo nunca les dije es que esa crema yo no la usaba, que en su lugar usaba aceite de coco y que eso era lo que tenía en mejor estado mi piel.

Ellas comentaron que luego de 3 semanas de terminar las radios, sería que mi piel comenzaría su proceso de recuperación, pero antes de 2 semanas mi piel estaba prácticamente curada, gracias a los cuidados de mami y a la misericordia de Dios.

Después de un tiempo en las terapias les dije a algunas amigas, bajo palabra de discreción, que usaran aceite de coco para ayudarse con las quemaduras de las radiaciones, lo que no sé es si lo aplicaron, pues la verdad fue de mucha bendición para mí el hacerlo de esa forma.

Fue muy difícil para mí comprender esa situación, pero ahí estaba mi madre como siempre a mi lado, apoyándome, brindándome todo su amor, al igual que mi familia, quienes nunca se apartaron de mí y juntos seguíamos orando para que Dios completara su perfecta sanidad en mí.

Cuando esté enfermo, el Señor lo sustentará;
suavizará sus males mientras recobra la
salud.
Yo le pido al Señor que me tenga compasión,
que me sane, pues he pecado contra él.
Salmos 41:3-4

Capítulo 9
Dios tiene la última palabra

Cuando ingresé al hospital en octubre de 2020 las palabras de la primera doctora que vi fueron: "si no te dan las quimioterapias, en un año estarás muerta". La respuesta que le di a esa doctora fue: "usted no es Dios para decidir cuándo yo vivo o cuándo muero. Dios es un Dios de milagros".

Pero la verdad estaba muy asustada por todos los comentarios que había escuchado de muchas personas que se habían sometido a las quimioterapias.

Cuando vi al que hoy en día es mi oncólogo, fue impactante para mí cuando me dijo que intentaríamos hacer el tratamiento correspondiente, para ver si podía yo sanarme del cáncer.

El cáncer triple negativo es demasiado agresivo y no se sabe con certeza qué es lo que lo produce. Me realizaron un estudio genético para saber si podía ser hereditario, pero gracias a Dios no fue genético, pues ellos pensaban que si daba positivo el análisis debía retirar mis dos mamas por mi propio bienestar.

A mediados de diciembre, en una de mis consultas, el doctor nos dijo que faltó muy poco para que la enfermedad corriera por todo mi cuerpo. ¡Estoy viva por un milagro de Dios!

Durante absolutamente todo el transcurso de mi tratamiento, la certeza de que Dios iba a hacer un milagro en mí hacía que me levantara cada día con nuevas fuerzas para enfrentar lo que venía.

Fueron momentos muy agobiantes y difíciles donde muchas veces la depresión quiso tocar a mi puerta, pero la mano de Dios estuvo siempre ahí, sosteniéndome y evitando que yo cayera en desánimo.

Cada circunstancia difícil que se presenta en nuestras vidas podemos superarlas siempre y cuando tengamos a Dios en nuestro corazón y nos aferremos a él con todas nuestras fuerzas, pues él conoce todo y sabe exactamente qué es lo que necesitamos para superar las adversidades que estemos enfrentando en ese momento.

Cuando mi oncólogo me dijo que haríamos el tratamiento para ver si funcionaba fue un tanto triste para mí, pues honestamente no son las palabras exactas que ninguna persona quiere escuchar, pero sabía que Dios estaba en medio del proceso y que no importaba lo complicado que fuera la situación, pues Dios estaba en control de todo lo que me estaba pasando.

Humanamente, es difícil superar una enfermedad como el cáncer y muchos otros procesos que se presentan en nuestras vidas sin ser llamados.

Recordemos algo bastante importante: las enfermedades no tienen que ver con si eres rico o pobre, si eres viejo o joven, simple y llanamente, si está escrito que has de pasar por una enfermedad, no importa su nombre, tendrás que enfrentarla.

Debemos tener claro en nuestras vidas que cada circunstancia difícil por la que podamos estar pasando es permitida por Dios para ayudarnos a crecer y que podamos aumentar nuestra confianza y fe en él, Dios tiene un propósito en tu vida, está en ti que se lleve a cabo o no.

En cualquier enfermedad por la que puedas estar atravesando es importante la fe y la certeza de que Dios está a tu lado y nunca te ha dejado solo.

El apoyo de familiares y de tus seres queridos que permanezcan junto a ti en todo momento, lugar o circunstancia, es esencial para poder superar con éxito las dificultades de la vida.

Si Dios no hubiese estado en mi corazón. Sin la certeza en mí de que Él es justo y misericordioso. Sin aferrarme a Él con todas mis fuerzas y demostrar que tenía ganas para seguir viviendo, no hubiese sido posible haber superado esta enfermedad y los demás procesos que expliqué en este libro.

El cáncer es una de las enfermedades a la que yo le llamo: "patana mortal". Esa "patana" quiso arrollarme y destruir por completo mi vida, queriendo robarme la felicidad de estar en un cuerpo saludable.

Quiso destruir por completo mi familia y mi relación con Dios, pero la mano poderosa de Jesucristo estuvo sosteniéndome y al fin hoy el cáncer se ha ido de mi vida.

Dios me ha dado una nueva oportunidad para seguir viviendo, para hacerle saber a las personas que no importa por lo que estén atravesando, si tienen fe y certeza de que Dios está junto a ellos pueden superar cualquier cosa que se les presente en el camino.

Cada día que pasaba durante todo este proceso era una nueva enseñanza para mí, pues lo más importante era sentir que Dios estaba junto a mí, sosteniéndome en sus manos y ayudándome a cruzar este mar tan hondo, que en un momento determinado de mi vida pensé que me ahogaría.

El tener a Dios en mi vida y a mi familia junto a mí fue lo que me dio las fuerzas suficientes para enfrentar todo este proceso, para asimilar que habían tenido que extirpar una parte de mi cuerpo, y que porque eso sucediera no significaba que yo fuera menos mujer que las demás.

A ti mujer, que te sientes menos que las demás porque han tenido que extirparte uno o quizás tus dos pechos, entiende que el propósito de Dios si sigues viva en esta tierra es para que te entregues a él, glorifiques y exaltes su nombre y entiendas que él ha hecho un milagro en ti. Que no importa que hayan tenido que extirparte una parte de tu cuerpo, el milagro real es que sigas con vida y tengas salud.

Desde el 2 de marzo de 2020 estuve luchando con el cáncer en mi vida, el cual quiso destruir todo lo hermoso que Dios me había dado, pero gracias al favor y la misericordia de Dios hoy 3 de septiembre de 2021 puedo cantar victoria. ¡Estoy completamente sana!

¡Gracias mi Dios! ¡Gracias a los médicos y enfermeras que han estado a mi lado! ¡Gracias a mis amigos y familiares que han permanecido junto a mí en todo momento! ¡Gracias a todas aquellas personas que han orado por mí día y noche, para ver el milagro de Dios realizado en mi vida! ¡Hoy todos juntos cantamos el himno de victoria!

Quizás estés pasando por esta terrible enfermedad, y por tantos comentarios negativos que has escuchado acerca de los tratamientos estés en una gran disyuntiva de si hacerlo o no. Recuerda, lo primero es entregarte en las manos de Dios. Él te guiará para hacer lo que es correcto.

Tampoco olvides que debes hacer lo que esté en tus manos para tratar de recuperar tu salud por completo.

La palabra de Dios dice que en vano vela el vigilante. Si Dios no está en control, todo lo que hagas será inútil.

Nunca lo olvides: debes entregarte en las manos de Dios. Él hará lo que es mejor para ti, por algo Dios permitió que los médicos también existan en esta tierra.

Si tienes que llevar acabo un tratamiento como lo es el de las quimioterapias, radiaciones y demás, solo pide que Dios te ayude.

Yo soy un testimonio vivo de que sí se puede superar. Debes saber que todos los procesos que pasarán por nuestras vidas son parte del propósito de Dios para nosotros.

Recuerda que los médicos también están en esta tierra puestos por Dios para que ellos, con sus conocimientos, puedan ayudarnos a superar las enfermedades.

Hoy alabo y glorifico el nombre de Dios, testifico el milagro que Dios ha hecho en mí y sé que también lo puede hacer en ti, sólo cree y confía en que Dios lo hará.

Espero que haber leído este libro te haya ayudado a entender que el amor y la misericordia de Dios son nuevas para ti cada mañana, y que no importa la situación difícil por la que estés atravesando, Dios está en control; y si te entregas a él con un corazón genuino y humillado ante sus pies podrás superar todo lo que se te ponga enfrente.

Cuando tenemos situaciones difíciles en la vida hay momentos en que llegamos a pensar que no podremos superarlas, pero la verdad es que si Dios está en control todas las cosas son posibles.

Aférrate a él, que tu fe aumente cada día más y que Dios sea el capitán de tu barco llamado vida.

Yo esperaba en Dios, pues sabía, en lo más hondo de mi corazón, que el haría un milagro en mí y que yo viviría para contarle al mundo que los milagros siguen siendo realidad.

Dios sigue siendo el Dios de milagros de siempre. Él nunca cambia.

"Jesús le dijo: Si puedes creer, al que cree todo le es posible."
Marcos 9:23

Cada situación que pasamos en la vida nos enseña que nuestra esperanza debe estar puesta en Dios, pues solo él puede ayudarnos a salir victoriosos de ellas.

No existe un manual con pautas detalladas que te digan cómo debes enfrentar las pruebas que llegan a tu vida, pero cada experiencia vivida por otros puede al menos darte una idea de cómo hacerlo.

Dios trata de forma distinta con cada persona, pero el fin es el mismo: hacer que nuestra fe aumente y aprendamos que todo en el mundo tiene una razón de ser.

Las dificultades son comparables con una escalera, donde debes tirar el pie y apoyarte en las manos de Dios para que puedas subir sin caerte en el intento; así que si no te sale no te rindas, sigue firme y Dios te dará las fuerzas para continuar.

Fracasar no es el no intentar las cosas, es no intentar hasta lograr lo deseado. Si tratas de hacer algo y no te está funcionando en la manera que lo has estado haciendo, entonces cambia la forma de hacerlo.

Que Dios sea tu estandarte y verdad en todo momento, y que cada cosa que hagas sea entregada en las manos de tu padre celestial.

Camina mirando fijamente a la meta, que es alcanzar la vida eterna, pues solo si te entregas a Dios lo lograrás y no habrá nada que te desvíe de su camino.

En muchas ocasiones pasamos por enfermedades que no podemos enfrentar con facilidad, pues esa es nuestra naturaleza humana, pero Dios en todas ellas muestra su gracia para con sus hijos. Entiende que hay procesos a los que Dios nos lleva para ver si realmente dependemos de Él.

Las enfermedades yo las comparo con un mar, porque a medida que vas entrando más y más, te va arropando el agua hasta cubrirte completa. A algunas personas, Dios les permite llegar solo hasta donde el agua le da por las rodillas, a otros les ayuda a llegar a la cintura y a otros le permite ser arropados por entero.

No todas las personas tenemos la misma capacidad de aguantar las mismas enfermedades, por eso Dios dice en su palabra que él no nos da una carga que no podamos llevar.

Lo peor que puedes hacer en medio de una situación es alejarte de Dios y aislarte de los demás, esto solo te producirá una depresión enorme, la cual puede llevarte a la misma muerte.

Aquí te dejo algunos versículos de la palabra de Dios sobre la fortaleza, la fe y la confianza en Dios.

Fortaleza

- *Éxodo 15:2*
- *Salmos 18:2*
- *Deuteronomio 31:6*
- *2° Samuel 22:33*
- *Isaías 40:29*

Fe

- *Hebreos 11:1*
- *2° Corintios 5:7*
- *Romanos 15:13*
- *Efesios 3:16-17*
- *Santiago 1:6*

Confianza

- *Proverbios 3:5-6*
- *Jeremías 17:7-8*
- *Proverbios 16:3*
- *Isaías 43:2*
- *1° Juan 5:14*

Cada uno de estos versículos muestra que Dios es tu fuerza. Que en Dios debes poner tu fe. Que tu confianza debe estar puesta exclusivamente en Dios tu padre, el cual nunca te dejará solo.

Comprende que en este mundo tendremos aflicciones, pero la mano poderosa de Dios siempre estará presta para sostenerte en medio de la enfermedad, no importar cual sea.

- *Éxodo 23:25*
- *Mateo 14:14*
- *Juan 11:41-45*
- *Lucas 9:1*
- *Hechos 14:3*
- *Mateo 11:28*
- *Isaías 53:4-5*
- *Salmos 103:2-4*

Estos versos serán de edificación para tu existencia y te permitirán comprender mejor las dificultades por las que tengas que pasar en la vida.

Dios tiene un propósito para tu vida y sus planes son perfectos. Qué Dios el todo poderoso te bendiga y te guarde todos los días de tu vida.

Made in the USA
Monee, IL
25 September 2023

43407718R10066